This book is to b
the last da

C000041418

Pour aider
une Organisation Internationale,
une ONG,
une Association
ou une Fondation...

On peut trouver leur adresse sur :
comitécharte.org
générosité.org
commerceequitable.org
ou coordinationsud.org

Série dirigée par Dominique de Saint Mars

© Calligram 2005
Tous droits réservés pour tous pays
Imprimé en Italie
ISBN : 2-88480-207-X

Ainsi va la vie

Max et Lili aident les enfants du monde

Dominique de Saint Mars

Serge Bloch

CALLIGRAM

CHRISTIAN GALLIMARD

ARRIVE ENFIN LE JOUR DE L'EXPOSÉ DE KOFFI AVEC LES DEUX CLASSES PARTENAIRES DU PROJET SOS MALI : LA CLASSE DE MAX ET CELLE DE LILI...

T'as rapporté tout ça de tes vacances au Mali ! C'est beau !

Je vais vous emmener sur le continent africain... Regardez, il est là le Mali !

On est télétransportés !

Chez mon oncle, c'est là... il fait très chaud. Toute la famille vit dans des cases en brique, avec un toit en feuilles de palmier.

Ça c'est mon cousin, Amadou, qui a neuf ans, ma cousine Aminata qui a huit ans, et deux plus petits et un bébé. Et ma tante bien sûr, et une autre tante. On dort par terre sur une natte.

Amadou, il adore le foot ! On jouait quand il faisait moins chaud...

Dans la journée, je restais avec Aminata qui n'avait pas le droit d'aller à l'école...

Pourquoi ?

Elle doit aider sa maman, savoir faire la cuisine et le ménage car ses parents veulent la marier jeune et ne pas dépenser pour elle.

Et si elle n'a pas envie de se marier et qu'elle préfère apprendre... et se faire des amis en classe ?

Oui, et on sait que les mères qui ont été à l'école arrivent mieux à protéger leurs enfants et à travailler.

Hé hé !

De toute façon, c'est trop cher et ça lui prend trop de temps, deux kilomètres à pied...

C'est injuste. Elle sait que nous, on va à l'école ?

Oui, elle en a trop envie ! Un jour, elle y est allée en cachette avec son petit frère dans son dos. Mon oncle, il l'a battue après !

Oh, le courage !

Non ! On s'est baignés à la rivière mais l'eau était pleine de vers et de microbes archi-dangereux...

Toi, t'as rien attrapé ?

...j'étais vacciné* ! ...là-bas, y a pas assez ...ccins... Moussa, le bébé, ...t la diarrhée, il allait ...ue mourir... ...usement, ...re avait des ...ments...

Hum, je l'ai eu, moi, mais je ne suis pas mort ! J'ai bu beaucoup d'eau potable...

Bon, Koffi, on va peut-être arrêter...

...gé d'une maladie.

14

C'est surtout... qu'il n'y a pas de toilettes pour filles, pas de portes...

Moi, j'irais pas non plus !

Bof, pas grave, y a rien à voir...

Ici, l'école est gratuite et obligatoire depuis vos arrière-grands-parents... Avant, beaucoup d'enfants travaillaient...

Moi, dans mon pays, des enfants travaillent aussi, ils cousent toute la journée sans bouger ni jouer, et s'ils sont malades, on les soigne pas. S'ils meurent, on en prend un autre, y en a tellement...

Oui, avec leurs maigres salaires, ils aident leurs parents.

Aminata, ça arrive qu'elle fasse la «domestique*», chez des gens !

À 8 ans !?

*Domestique : employé de maison (vient du mot latin domus : maison).

11

J'ai vu à la télé que des parents vendent leurs enfants... pour 100 euros !

Ils le font pour survivre, payer leurs dettes, ou parce qu'ils espèrent que leur enfant sera mieux dans une famille riche...

Alors ils travaillent comme esclaves !

Ils ne peuvent pas s'enfuir ?!

Où veux-tu qu'ils aillent ?

Oui, c'est terrible ! Et interdit par la Convention* des droits de l'enfant !

L'école, pour eux, c'est la liberté !

Et pour d'autres, c'est la prison... drôle de monde !

KLANG

Les esprits de l'Afrique !

Rigole pas avec ça, Max !

On continue ! Koffi a presque fini !

Aminata, elle fait la purée d'igname, hum, trop bon, mais les jours, elle rapporte du bois le feu et de l'eau potable du à un kilomètre de sa mai

Comme ça ?

Du puits ? pas de ro

Moi Mais de va il ava presq Heure ma mé médica

*Vacciné : être prote

* En 1989, la Convention des droits de l'enfant a été adoptée par presque tous les pays mais n'est pas respectée partout encore...

12

Y a pas que ça... À la ville, y a des parents qui sont morts du sida*.

L'Afrique est très touchée par cette maladie et les gens ne peuvent pas acheter de médicaments.

Et dans la rue, y a des enfants tout seuls... avec juste un grand frère de... 11 ans comme chef de famille...

Des orphelins...

Ça se passe EN CE MOMENT ?

Oui, à cinq heures d'avion... C'est aux États d'arrêter vite ce scandale mais on peut agir nous aussi !

Qu'est-ce qu'on peut faire ?

Moi, en attendant, je vais faire des cauchemars...

*Sida : maladie grave qu'on attrape par le sang ou par les rapports sexuels.

15

16

17

Il y a des enfants qui restent le ventre vide toute la journée !

Ça me donne faim... c'est dur...

Les parents de Koffi m'ont parlé d'une ASSOCIATION qui aide cette école,

... et qui a déjà creusé un puits pour apporter de l'eau potable et construit des toilettes pour les filles.

AH ! AH ! HOURRA !

AH !

AH !

... et j'ai pensé que nous pouvions nous engager pour les aider...

Alors, vous êtes partants pour organiser une kermesse et une course en trouvant des sponsors* pour vos exploits ?

Et faire des petits boulots !

Bien !

Trouver du fric pour l'Afrique !

Et comme ça, Aminata ira à l'école !

*Sponsor : personne qui donne de l'argent pour aider une action.

19

21

30

32

33

34

35

LILI, LE SAC !

Oh ! C'est Marion qui l'a gardé ! Elle exagère !

Un peu bizarre, la Marion ! Elle est nouvelle à l'école ?

Et tête en l'air... elle risque de le perdre, le trésor !

Et l'argent, elle s'en fiche, avec la maison qu'elle a !?

Vite, il faut le retrouver ! On sait où elle habite...

Non, pas ici ! Mais il y a un studio à côté avec une mère et sa fille...

37

Lili, ma mère, hier, je l'ai vue pleurer...

Ma pauvre, ça c'est le pire !

JE L'AI !

Œil de lynx, je t'adore !

Vous ne direz rien sur moi à l'école, hein ?

O.K., mais y a pas de honte ! Et si tu veux, ce qu'on a gagné, nous, on t'en donne la moitié !

Merci ! Non, ça c'est pour eux ! Moi, j'ai de la chance d'aller à l'école...

et d'avoir des amis... À demain !

Hum... on dit que l'argent n'a pas d'odeur ! Merci et bravo à tous ! Vous allez vraiment aider Aminata et Amadou !

Si tout le monde agit comme vous, le monde changera. Et on va continuer...

Pour ton pays à toi... ?

C'était bien pour nous aussi, hein !

On se fait plaisir quand on aide les autres, on n'a même pas besoin d'être remercié !

Alors, Lili, tu m'aides pour les maths... Ça te fera plaisir, hein !

Hum...

Et toi...

Est-ce qu'il t'est arrivé la même histoire qu'à Max et Lili ?

C'était quoi ? Tu t'es senti utile ? As-tu appris des choses sur toi, sur tes copains, sur le monde, et à tes parents ?

Ou as-tu été déçu ? Tu n'as pas trouvé d'idées ?
Tu t'es disputé avec les autres ? Tu n'as pas fini ?

Tu t'es mis à leur place, compris leurs besoins et leurs rêves ?
Tu trouves que tu as de la chance. Tu essaies d'en profiter ?

Te sens-tu « pauvre » parfois ? Problèmes d'argent ? Parents tristes ? ou absents ? ou sans amis ? Aimerais-tu être aidé ?

Aimes-tu aider ? Ça te fait plaisir ? As-tu envie d'être remercié ? Sais-tu aussi t'occuper de toi ?

Aimes-tu être aidé ? Ou ça te fait honte ou tu te sens nul ? Espères-tu aider après ?

On ne te l'a pas proposé ? Tu n'as jamais pensé à la misère ?
As-tu envie de te renseigner à l'école ou à la mairie ?

Tu préfères jouer ou regarder la télé, même si on te traite
de méchant ? Tu trouves que c'est pour les adultes ?

Aimes-tu aider ou as-tu peur de perdre ce que tu as ?
Ou d'avoir à aider trop longtemps ?

As-tu déjà vu des gens « pauvres » autour de toi ?
Ça t'a fait mal au cœur ? Étais-tu avec tes parents ?

Quelqu'un t'a aidé à résoudre un problème ? T'a consolé ?
Il a vu que tu n'étais pas bien ? Ça te donne envie d'aider ?

À ton avis, de quoi a-t-on besoin pour vivre ? de nourriture ?
d'être entouré et aimé ? de la santé ? du travail ?

Petit dico Max et Lili
sur la solidarité

● **Action humanitaire :** Aide d'urgence pour alléger les souffrances des populations et alerter l'opinion publique mondiale.

● **Aide au développement :** Aider les gens du pays à créer des routes, des hôpitaux, des écoles… et à développer leurs richesses, pour pouvoir se débrouiller seuls après.

● **Catastrophe naturelle :** Sécheresse, famine, inondation, tremblement de terre… maladies et épidémies.

● **Commerce équitable :** Les entreprises du commerce équitable s'engagent à acheter aux cultivateurs leur café ou leur riz sur plusieurs années, à un bon prix pour eux afin qu'ils puissent travailler et ne pas mendier…

● **E.C.H.O. :** Service d'Aide Humanitaire de la Commission Européenne : Il apporte un quart de l'argent donné par l'humanitaire mondial.

● **Guerres :** Conflit à cause de l'origine différente des populations, des religions, des frontières, des richesses comme le pétrole.

● **O.N.U. :** Organisation des Nations Unies, fondée pour maintenir la paix et la solidarité entre les peuples du monde. Une de ses agences, l'UNICEF, s'occupe des enfants.

● **O.N.G. :** Organisations Non Gouvernementales. Elles aident à combattre la misère. Elles sont privées et vivent grâce à l'argent qu'on leur donne.

● **Pays les moins avancés et pays en voie de développement :** Ce sont les pays les plus pauvres de la planète.

● **Réfugiés :** Pour fuir la guerre, des populations se déplacent pour chercher un abri ou de la nourriture.

● **Solidarité :** Entraide naturelle parce qu'on dépend tous les uns des autres sur cette terre !